D1634997

GUIDE DE LA **PRÉVENTION** ET DU **TRAITEMENT** DES **VARICES**

LES ÉDITIONS QUEBECOR
une division de Groupe Quebecor inc.
4435, boul. des Grandes Prairies
Montréal (Québec)
H1R 3N4

Distribution: Québec Livres

© 1989, Les Éditions Quebecor
Dépôts légaux, 4e trimestre 1989

Bibliothèque nationale du Québec
Bibliothèque nationale du Canada
ISBN 2-89089-554-8

Conception et réalisation graphique
de la page couverture: Bernard Lamy

Photo de la page couverture: Pierre Dionne

GUIDE DE LA PRÉVENTION ET DU TRAITEMENT DES VARICES

DOCTEUR

Robert Prescott

Les Éditions Québecor

Note biographique

Le Dr Robert Prescott s'intéresse depuis dix-sept ans à la médecine esthétique et en particulier au traitement des varices.

Il a participé et continue de participer à de nombreux congrès nationaux et internationaux, tant en Europe qu'en Amérique.

Membre de la Société canadienne de phlébologie dont il a été élu directeur en 1983 et président en 1989 et de la Société française de phlébologie, il dirige présentement des cliniques à Montréal, Joliette et Verdun. Il a formé plusieurs médecins qui oeuvrent maintenant en différents coins du Québec.

Sans aucun doute, les fruits de sa longue expérience sauront être appréciés par tous les lecteurs de cet ouvrage de vulgarisation. Peut-être ainsi comprendra-t-on mieux cette maladie qui touche une si grande partie de la population.

Avant-propos

La maladie variqueuse est connue depuis des temps fort anciens. Certains dessins de l'époque glorieuse de la Grèce antique permettent d'affirmer que l'on connaissait déjà les maladies veineuses des jambes.

Cette maladie est très répandue: elle touche, à divers degrés, 30 % de la population, soit 50 % des femmes et 10 % des hommes, ce qui en fait une des afflictions les plus fréquentes, surtout dans le monde occidental.

En plus d'être très répandue, la maladie variqueuse est aussi importante par les troubles qu'elle apporte. À la fois embarrassantes et gênantes, les varices peuvent être handicapantes et entraîner des complications graves. C'est ce que nous verrons dans la première partie du présent ouvrage.

La gravité de cette maladie vient aussi de son évolution: les varices évoluent de façon chronique, lentement mais inexorablement. Dans bien des cas, la guérison n'est pas définitive et l'on ne peut empêcher les récidives.

Alors comment traiter les varices? Ce sera l'objet de la deuxième partie de ce volume, car la médecine moderne apporte beaucoup dans ce domaine.

De plus, on peut s'aider grandement soi-même comme on le verra dans la troisième partie.

Enfin, en appendice, je répondrai aux questions les plus fréquemment posées concernant cette maladie, son évolution et ses traitements.

J'espère que ce recueil saura apporter de la lumière sur ce sujet, aider les lecteurs à mieux comprendre, à mieux choisir leurs traitements et enfin à mieux s'aider eux-mêmes.

Bonne lecture!

Dr Robert Prescott

PREMIÈRE PARTIE

Les varices: ce qu'elles sont

CHAPITRE 1

L'importance des varices

Les varices représentent une des maladies qui viennent en tête de liste par leur fréquence dans notre société.

Et cette maladie est importante tant par les symptômes qu'elle présente (douleurs, lourdeurs, enflures), par les complications qui l'accompagnent (eczéma, ulcères, thrombo-phlébites), que par les dépenses sociales qu'elle entraîne (coûts médicaux, journées de travail perdues, incapacité temporaire ou permanente). De plus, les varices, qu'elles soient d'ordre symptomatique ou purement esthétique, sont toujours nuisibles et gênantes.

Mais attention! Les varices ne sont pas responsables de tous les maux des jambes. Ainsi on doit distinguer entre:

— troubles veineux (varices)
— troubles artériels (athérosclérose)
— arthrite et rhumatisme
— névrite (inflammation d'un nerf)
— douleurs musculaires (myosite)
— tendinite (inflammation d'un tendon)

Les douleurs aux membres inférieurs peuvent aussi être causées par différentes maladies et tumeurs des os et des muscles. Comment s'y retrouver? Seul un médecin pourra faire le partage des symptômes et arriver ainsi au diagnostic approprié pour traiter le mal ressenti.

De même, un diagnostic de varices ne présage pas nécessairement de toutes les complications possibles qui sont, elles, Dieu merci, beaucoup plus rares que la maladie causale. Par ailleurs certaines complications, l'ulcère par exemple, sont parfois la première manifestation qui amènera un patient chez le médecin et qui conduira au diagnostic et au traitement des varices.

Répandues dans notre société, les varices méritent d'être bien comprises; cette compréhension des mécanismes pathologiques mènera à une prise en main du problème et à une qualité de vie améliorée.

CHAPITRE 2

Ce que sont les varices

Une varice est, selon la définition, «une veine dilatée et tortueuse». On observe le plus souvent les varices au niveau des jambes sous forme de courants bleutés ou violacés de plus ou moins grande importance, allant des enflures en grains de chapelet aux petites veines éclatées en pinceaux (photos 1 et 2). Elles sont habituellement plus évidentes en position debout que couchée (alors qu'elles peuvent s'affaisser), après une douche ou une exposition à la chaleur.

LA CIRCULATION

Pour comprendre comment se forme une varice, il faut d'abord connaître comment s'effectue la circulation du sang dans notre corps.

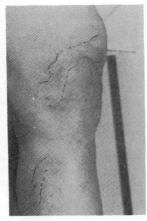

Photo 1: Grosses veines en «grains de chapelet».

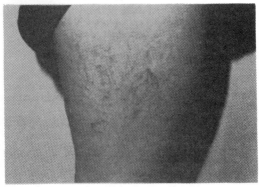

Photo 2: Petites veines éclatées en «pinceau».

La circulation comporte trois composantes principales:

— le coeur;
— les artères;
— les veines.

Le coeur constitue la pompe. Cette pompe envoie le sang dans les artères. Il revient au coeur par les veines (dessin 1). Ce schéma simplifié représente l'essentiel de la dynamique circulatoire dans tout le corps humain.

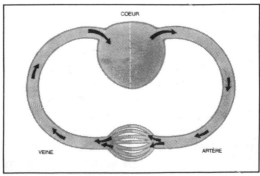

Dessin 1: La circulation du sang.

LES ARTÈRES ET LES VEINES

Les artères et les veines ont un rôle différent: les artères amènent le sang vers les tissus pour les nourrir et les veines ramènent le sang vers le coeur. Le sang artériel est chargé d'oxygène (nourriture des tissus) et le sang veineux contient du gaz carbonique (déchet du métabolisme des tissus), l'oxygène ayant été utilisé pour nourrir l'organe ou la partie du corps irriguée.

Pour remplir leurs fonctions, ces vaisseaux (artères et veines) ont une anatomie différente et particulière.

A- Les artères

Les artères sont en plus petit nombre et ne se remplacent pas ou très peu. On ne peut donc enlever une artère ou des artères sans raison précise. De même si, au cours d'un accident, une artère est sectionnée, les conséquences seront toujours sérieuses et plus graves qu'une section veineuse. Notons qu'une artère blessée peut cependant être réparée et qu'une artère sectionnée peut être «raboutée».

La paroi des artères est beaucoup plus épaisse que celle des veines et contient des muscles qui lui donnent plus de corps et jouent un rôle dans la tension. Cette pression sanguine que votre médecin surveille constamment correspond en fait à la tension artérielle c'est-à-dire à la pression à l'intérieur des artères.

Enfin, les artères sont plus profondes que les veines et ne sont presque jamais visibles.

B- Les veines

Les veines sont beaucoup plus nombreuses que les artères. Le corps en présente des millions de tous calibres. De plus, de nouvelles veines sont continuellement en formation, ce qui permet d'enlever des veines sans grand inconvénient et parfois d'améliorer la circulation lorsque celles-ci sont malades, comme dans le cas des varices.

Alors que les artères sont toujours profondes, les veines sont soit superficielles soit profondes. Il y a deux systèmes veineux: un système superficiel et un système profond.

La paroi des veines est beaucoup plus mince que celle des artères et a par conséquent beaucoup moins de corps.

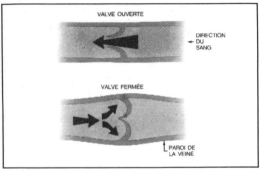

VALVE OUVERTE

DIRECTION DU SANG

VALVE FERMÉE

PAROI DE LA VEINE

Dessin 2: Une veine.

De plus, les veines comportent de petites valves qui facilitent la circulation du sang en l'empêchant de refluer, car il ne faut pas oublier que ce sont les veines qui ramènent le sang vers le coeur (dessin 2).

C- Les maladies

La maladie principale des artères est l'athérosclérose, c'est-à-dire le dépôt de graisse ou lipides sur les parois, qui peut mener à l'occlusion complète des petites artè-res (l'infarctus, la crise cardiaque, la paraly-sie partielle).

La maladie principale des veines est la varice, ou dilatation de la veine qui l'empê-che de remplir son rôle.

LA CIRCULATION VEINEUSE

Mais qu'est-ce qui fait remonter le sang dans les veines? Il faut bien comprendre la réponse à cette question pour expliquer la formation des varices.

En fait les facteurs qui poussent le sang dans les veines sont nombreux. On a déjà mentionné:

A- La pression artérielle.
B- Les valves des veines.

Il faut y ajouter:

C- Les contractions musculaires.
D- La situation des veines selon leur localisation et la position du corps.

Voyons ces facteurs plus en détail.

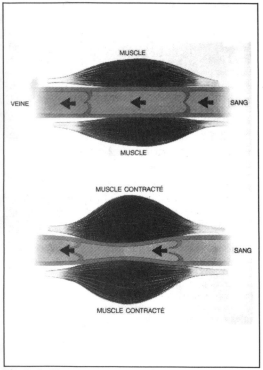

Dessin 3: Une contraction musculaire.

A- La pression artérielle

Celle-ci oblige le sang à avancer par sa seule impulsion.

B- Les valves des veines

Celles-ci empêchent le sang de régresser, de redescendre et le forcent donc à avancer à chaque contraction du coeur.

C- Les contractions musculaires

Lorsqu'un muscle se contracte, il vient faire pression sur la veine et propulse le sang vers le coeur (dessin 3).

D- La situation des veines

Lorsqu'il s'agit d'une veine des bras ou de la tête, la circulation est facile puisque le sang n'a qu'à descendre vers le coeur. Au contraire, au niveau des jambes, le sang doit remonter. Cependant, en position couchée ou allongée, les jambes légèrement surélevées, le sang n'aura alors qu'à descendre vers le coeur, non plus à remonter comme en position debout. C'est ce qui explique que les gens souffrant de varices sont soulagés par l'élévation des jambes.

LES VARICES

On l'aura donc compris, les varices sont le résultat d'une ou de plusieurs insuffisances des veines qui, trop faibles pour assurer le transport du sang vers le haut, céderont sous les pressions diverses pour se dilater, devenir tortueuses, retardant ainsi le retour du sang au coeur et causant tous les symptômes qui accompagnent les varices (douleur, lourdeur, crampes, enflures, etc.). Le chapitre suivant traitera des facteurs qui provoquent l'apparition des varices.

Disons tout de suite que les varices se rencontrent surtout aux membres inférieurs (quoique non exclusivement) parce que les veines y sont défavorisées par leur position, ayant à ramener le sang du bas vers le haut. Notons aussi que les varices affectent uniquement le système veineux superficiel, puisque les veines profondes sont entourées de muscles et de structures qui les contiennent et les empêchent de se dilater (elles sont appuyées sur les muscles et autres tissus, ce qui ne laisse pas d'espace pour une dilatation). De plus les veines profondes contiennent plus de valves et ces valves sont plus puissantes, ce qui les favorise et les aide à résister.

Avant de terminer ce chapitre, voyons sous forme de schéma la différence entre une veine normale et une veine malade ou variqueuse (dessin 4). Il apparaît que, dans la veine variqueuse, la circulation se fait à rebours: le sang redescend entre les contractions du coeur puisque, à cause de la dilatation, les valves n'arrivent plus à se rejoindre et à «fermer la porte».

Notons aussi que dans une veine variqueuse, du fait de sa dilatation, la pression sera plus forte, ce qui tendra à dilater davantage cette veine et à aggraver la situation. De plus cette pression accrue dans la veine malade se répercutera sur les autres veines qui communiquent avec elle. Ainsi, de proche en proche, la maladie va progresser et les varices se multiplier, si l'on ne fait rien pour y remédier (photos 3 et 4).

VALVES FERMÉES
(ENTRE LES CONTRACTIONS DU COEUR)

VARICE
(ENTRE LES CONTRACTIONS DU COEUR)
— SANG REFOULÉ

SANG

VALVES OUVERTES
(CONTRACTION DU COEUR)

VARICE
(CONTRACTION DU COEUR)

Dessin 4: Veine normale et veine variqueuse.

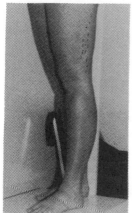

Photo 3: Maladie variqueuse au début.

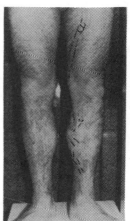

Photo 4: Maladie variqueuse avancée.

CHAPITRE 3

Les causes des varices

Une varice est une veine dilatée et tortueuse, où la pression est accrue et où le sang circule à rebours entre les contractions du coeur. Sa tendance à transmettre aux autres veines qui communiquent avec elle sa pression augmentée explique la progression de la maladie et la multiplication des varices. Mais qu'est-ce qui en premier lieu amène une veine à se dilater, à céder et à devenir variqueuse?

Les causes sont nombreuses; certaines sont importantes, d'autres, accessoires. Nous allons tenter dans ce chapitre de présenter de façon simple tous les facteurs qui influencent la circulation veineuse et jouent un rôle dans l'installation de la maladie.

1- L'hérédité

L'hérédité est sans doute la cause première des varices. Mais ce dont on hérite de ses ancêtres ce ne sont pas des varices comme telles, mais à la fois d'une malformation des valvules ou valves (trop faibles et pas assez nombreuses), et d'une faiblesse de la paroi des veines. En fait, il s'agit d'une prédisposition puisqu'une veine plus faible et pourvue de moins de valves se dilatera, cédera beaucoup plus vite et plus facilement à la pression.

Dans de rares cas de varices apparues en bas âge chez des sujets d'une même famille, on a même constaté une avalvulie complète, c'est-à-dire l'absence totale de valves sur les veines des membres inférieurs.

Cette hérédité est importante, étant presque toujours présente chez les variqueux, et c'est pourquoi un bon examen commence par un questionnaire sur les antécédents familiaux.

2- La station debout prolongée

La station debout prolongée est un facteur qui influencera graduellement le développement des varices. Ceux qui exercent certains métiers et professions seront donc plus exposés à la maladie: coiffeurs et coiffeuses, vendeuses, caissières, etc. En fait, ce qui est dommageable, c'est la station debout sans activité alors que la marche ou l'exercice sont bénéfiques.

Cela se comprend facilement: rester debout longtemps accroît le travail des veines des jambes qui doivent ramener le sang vers le haut; dans cette position, le poids et la pression atteignent leur maximum pour ces veines. De plus, si l'on bouge peu, il ne faut pas compter sur les contractions musculaires pour les aider à propulser le sang (dessin 3) comme au cours de la marche, par exemple.

3- L'obésité

L'obésité est un autre facteur qui agit sur le développement des varices. En effet, la surcharge de poids se répercute sur tout le corps et en particulier sur les jambes, surtout en position debout.

De plus l'augmentation de volume accroît la quantité de sang à transporter et donc la somme de travail à accomplir par

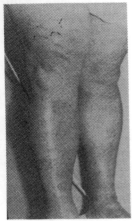

Photo 5: Varices chez un obèse.

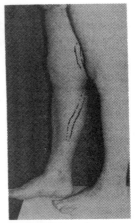

Photo 6: Varices de grossesse.

les veines, d'où une pression plus forte sur leurs parois.

Nous verrons d'ailleurs que le traitement de l'obésité devrait faire partie du traitement de la maladie variqueuse (photo 5).

4- La grossesse

Comme l'obésité, la grossesse impose un excès de travail aux veines des membres inférieurs. De plus, au cours des derniers mois, le bébé vient faire pression sur les grosses veines de l'abdomen, bloquant ainsi en partie la montée du sang des jambes vers le coeur et accroissant d'autant la pression dans les parties inférieures.

Il n'est pas surprenant que les femmes prédisposées aux varices voient une détérioration importante de leurs veines à chaque grossesse, surtout si elles ne s'en préoccupent pas à ce moment. Nombre de patientes avouent avoir vu leurs premières varices arriver avec leur premier bébé. Par la suite la maladie suit son cours (photo 6).

Photo 7: Les jarretières. *Photo 8: La pilule: pour ou contre?*

5- La chaleur

La chaleur, en provoquant la dilatation des veines, peut favoriser leur dilatation permanente, c'est-à-dire la formation de varices.

Donc attention aux bains trop chauds prolongés, aux expositions continuelles au soleil, aux maisons surchauffées, etc.

Cependant, il suffit, sans en faire une obsession, de faire preuve de gros bon sens et de respecter le juste milieu.

6- Les jarretières

En comprimant les veines hautes et en faisant obstacle à la montée du sang, les jarretières favorisent la dilatation des veines en accroissant la pression (photo 7).

Heureusement leur utilisation est de plus en plus rare.

7- Les accidents

Les accidents (coups, fractures, etc.) sont un facteur assez fréquent de formation des varices. Comment? Par la destruction ou la déchirure des valves des veines situées au niveau où la jambe a subi une blessure.

8- La constipation

Quoiqu'étant un facteur secondaire, la constipation, qui suppose que l'on devra faire des efforts et donc augmenter à ce moment la pression dans les veines basses, peut avoir un rôle à jouer dans la progression de la maladie variqueuse. Donc, à surveiller!

9- Le manque d'exercice

On a vu que la contraction musculaire aide à chasser le sang vers le haut en comprimant les veines (dessin 3). Or si l'on ne fait pas ou très peu d'exercice (marche, sports) on se prive d'un moyen naturel et efficace d'aider ses veines. Les patients sédentaires sont souvent plus mal en point que les patients sportifs.

10- La pilule

La pilule contraceptive, qui accroît la fragilité de la paroi veineuse et ainsi sa susceptibilité à la dilatation, peut influencer l'apparition des varices.

Ces phénomènes sont encore cependant mal expliqués et l'arrêt des contraceptifs oraux devrait être discuté avec le médecin traitant avant de prendre une décision car elle dépendra de l'importance de la maladie, des antécédents, etc. (photo 8).

11- La thrombo-phlébite

La thrombo-phlébite, complication possible des varices (voir chapitre 4), peut aussi

en être la cause. En effet, la thrombo-
phlébite amène une destruction des valves
sur la veine atteinte, ce qui détermine ulté-
rieurement une circulation à rebours à ce
niveau, une dilatation, et les phénomènes
d'entraînement sur les veines communi-
cantes.

12- Les causes multiples

Avant de conclure ce chapitre, répétons
que les causes des varices sont souvent multiples: prédisposition familiale (hérédité),
embonpoint (obésité), grossesses successi-
ves et souvent manque d'exercice.

En fait si l'hérédité joue de façon presque constante, les autres facteurs peuvent se
rencontrer dans toutes les combinaisons possibles.

CHAPITRE 4

Les complications des varices

1- La douleur

La douleur est sans nul doute le symptôme le plus fréquent dont se plaignent les patients.

Cette douleur peut être ressentie sous diverses formes et à divers moments:

— provoquée par la station debout prolongée;

— apparaissant au repos, parfois soulagée par l'exercice;

— accompagnée de crampes nocturnes chez certains;

— sous forme de lassitude dans les jambes;

— parfois en coup de fouet, c'est-à-dire une douleur subite et violente qui correspond en général à l'éclatement d'une valve et à la formation d'une varice.

Notez que les douleurs sont souvent plus importantes lors de la formation des varices et sans relation directe avec leur grosseur. Ainsi de petites varices peuvent être plus douloureuses que des plus grosses.

2- Le prurit

Le prurit ou picotement le long ou dans la zone des varices est un phénomène souvent observé, surtout après une journée de travail.

3- L'enflure

Les variqueux connaissent l'enflure des chevilles à la fin de la journée.

Ce phénomène est dû à un ralentissement de la circulation veineuse, à un retard du retour sanguin vers le coeur, des veines malades n'arrivant plus à faire leur travail adéquatement.

4- Les varicosités

Les varicosités ne sont pas en fait une complication des varices. Elles font partie intégrante de la maladie dont elles représentent l'aspect d'ordre esthétique.

Elles correspondent à la dilatation des veinules de la peau; causées par les mêmes phénomènes que pour les grosses veines, elles relèvent du même traitement, comme nous le verrons dans la deuxième partie (photo 9).

5- Les taches pigmentaires

Les taches foncées, situées en général dans la partie basse des jambes et aux chevilles, résultent au niveau de la peau d'une circulation veineuse déficiente et inefficace. Souvent dans toute cette région la peau prend une coloration brunâtre, s'amincit et devient plus ou moins parcheminée (photo 10).

6- Les ulcères

L'ulcère représente sûrement l'une des complications les plus redoutées par les

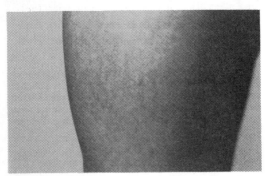

Photo 9: Les varicosités.

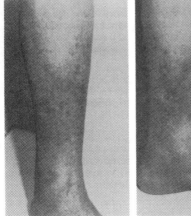

Photo 10: Les taches pigmentaires.

Photo 11: L'ulcère variqueux.

grands variqueux. Comme pour les taches pigmentaires, il résulte d'une circulation appauvrie et déficiente (photo 11).

Il est craint à juste titre car son traitement, souvent difficile et long, nécessite habituellement celui des varices qui l'ont causé. De plus il est douloureux et incapacitant, empêchant pour des périodes plus ou moins prolongées tout travail ou activité.

7- La phlébite

La phlébite est l'inflammation d'une veine avec formation d'un caillot (thrombus) à l'intérieur de celle-ci. D'où son nom de thrombo-phlébite.

La thrombo-phlébite s'accompagne toujours des quatre signes suivants:

— douleur

— rougeur (le long de la veine)

— chaleur (au niveau de l'inflammation)

— enflure

La thrombo-phlébite peut être suivie d'une embolie, c'est-à-dire qu'une partie du caillot peut se détacher pour suivre la circulation et aller s'arrêter plus loin en bloquant un plus petit vaisseau, par exemple un vaisseau pulmonaire ou cérébral. D'où les termes d'embolie pulmonaire ou cérébrale.

8- Les hémorragies

Il s'agit là d'une complication rare. Les varices vont rarement crever spontanément, bien que cela ne soit pas impossible.

Le traitement consiste simplement à mettre la jambe en position surélevée et à comprimer jusqu'à formation d'un caillot et arrêt du saignement.

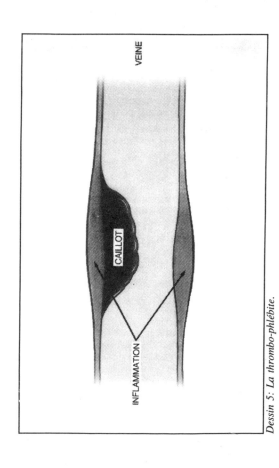

VEINE

CAILLOT

INFLAMMATION

Dessin 5: La thrombo-phlébite.

DEUXIÈME PARTIE

Les varices: comment les traiter

CHAPITRE 5

Les différents choix

Les choix qui s'offrent aux patients atteints de varices sont les suivants:
- ne rien faire
- la contention
- les injections
- la chirurgie

NE RIEN FAIRE

Il est clair que l'on peut toujours choisir de ne rien faire et de laisser ainsi évoluer la maladie avec tous les inconvénients et risques que cela suppose. Mais ce serait revenir en arrière, c'est-à-dire revenir aux temps où la médecine n'avait que bien peu de moyens à offrir aux nombreux patients condamnés à vivre avec des varices.

Ne rien faire, ce qui était souvent le lot de nos grands-mères, n'est plus aujourd'hui un choix logique. La médecine offre maintenant des interventions à la fois souples et faciles qui peuvent soulager grandement les malades, et parfois les guérir.

Ne rien faire n'est un choix réel à notre époque que pour les patients qui ont une pathologie légère (varices au tout début) où l'aspect purement esthétique devient la seule motivation à intervenir. Libre à eux de décider si l'esthétique est suffisamment importante pour se faire traiter.

LA CONTENTION

Contention veut dire «support physique» des veines des membres inférieurs par un moyen mécanique. Il s'agit du port des bas supports et des bas élastiques.

Ces moyens qui maintiennent les veines par une pression extérieure facilitent la circulation; ils empêchent les veines de se dilater davantage, du moins en partie. Les bas supports et les bas élastiques étaient il y a trente ans un des principaux moyens pour traiter les varices. Ils demeurent un excellent adjuvant au traitement médical; selon l'âge et l'état du malade, ils peuvent même encore être le seul moyen de soulager un patient. Ils sont toujours bénéfiques pour les grands variqueux.

De plus ces moyens mécaniques aident à prévenir la formation de nouvelles varices. En fait, à part l'exercice, ils constituent presque le seul moyen de prévention. Aussi suggérons-nous très souvent le port des bas supports ou élastiques, de façon permanente, même après traitement.

Il faut distinguer ici entre bas élastiques et bas supports. Le bas support est celui que tout le monde connaît, que l'on trouve un peu partout et que l'on peut se procurer pour quelques dollars. Son utilité est discutée. Certains font valoir que la pression qu'ils exercent est insuffisante pour être adéquate et utile. Selon notre expérience et d'après le témoignage de centaines de patientes, le port quotidien du bas support apporte un mieux-être évident et aide à diminuer les récidives. Il allège les douleurs, fatigues, picotements et enflures. Cependant il existe plusieurs qualités de bas supports; certains sont bien supérieurs à d'autres car ils donnent une meilleure pression et résistent mieux aux lavages (en se relâchant moins rapidement). En général on en a pour son argent, c'est-à-dire qu'un bas de prix plus élevé sera souvent plus efficace, plus durable et plus confortable. Votre médecin et votre pharmacien pourront sûrement guider votre choix.

Les bas élastiques sont beaucoup plus épais et plus serrés, c'est-à-dire qu'ils exercent sur les jambes, et donc sur les veines, une pression beaucoup plus grande. Ils sont généralement vendus sur ordonnance et certains peuvent être confectionnés sur mesure. Leur indication est médicale et ils s'adressent surtout aux cas plus avancés. Nous y reviendrons plus longuement dans la troisième partie. Les injections et la chirurgie font l'objet de chapitres séparés.

CHAPITRE 6

Les injections

Les injections pour traiter les varices ont commencé en Europe il y a plus de 50 ans. Depuis lors, les méthodes se sont améliorées, les médicaments raffinés et les techniques répandues.

Utilisés par des écoles européennes, ces traitements sont apparus au Québec il y a plus de vingt ans et, depuis, plusieurs médecins québécois sont passés maîtres dans leur utilisation.

En fait, les injections représentent une révolution dans le traitement de la maladie variqueuse: voici enfin un moyen, autre que les bas élastiques et la chirurgie, qui peut à la fois soulager et améliorer l'apparence des millions de patients atteints de cette maladie.

CE QU'EST L'INJECTION

Les injections sclérosantes pour varices consistent à injecter un médicament dans la veine malade afin de la faire «sécher». Cette veine sera ou dissoute et réabsorbée ou elle se fibrosera, deviendra un petit cordon dur et disparaîtra du système veineux de la même façon que si elle avait été enlevée chirurgicalement.

LES TYPES D'INJECTIONS

Il y a plusieurs types d'injections, correspondant à plusieurs types de médicaments. Au Québec, il y a au moins six types de médicaments disponibles.

Ces médicaments se divisent en majeurs ou mineurs selon leur puissance d'action. On utilise un sclérosant majeur pour les plus grosses veines et un sclérosant mineur pour les plus petites.

Le type et la dose du médicament relèvent du médecin traitant. Celui-ci choisit l'injection appropriée selon la réaction du patient aux médicaments et suivant ce que lui dicte son expérience.

L'ACTION DES INJECTIONS

Le médicament injecté vient irriter la paroi de la veine et y provoque une inflammation. Il peut ou non s'y former un caillot. Attaché à la paroi ce caillot ne peut provoquer d'embolie. À ce moment la veine se trouve obstruée par ces réactions; par la suite elle va sécher, puis être dissoute et réabsorbée. Les plus grosses pourront former un petit cordon dur (fibrose) invisible, perceptible seulement à la palpation.

Les veines ainsi traitées auront donc disparu de la circulation.

LES VEINES CIBLES

Quelles varices peuvent être traitées par injection?

Pour les petites veines (photo 12), les injections représentent le seul traitement disponible. Celles-ci ne peuvent être enlevées par le chirurgien et disparaissent en général assez facilement par sclérothérapie (injections sclérosantes) entre des mains habiles.

Pour les veines de moyen calibre (photo 13), les injections représentent encore le trai-

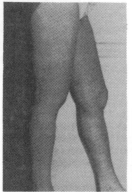

Photo 12: Les petites veines.

Photo 13: Les veines moyennes.

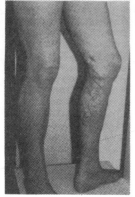

Photo 14: Les grosses veines.

tement de choix car elles offrent de nombreux avantages sur la chirurgie: pas d'anesthésie, pas de convalescence, pas de cicatrices inesthétiques, etc. De plus, l'injection est un acte bénin, beaucoup moins dramatique que l'opération. Et ces veines répondent toujours aux sclérosants (médicaments injectés), même si à l'occasion certaines résistances nécessitent une ou deux visites supplémentaires.

Pour les très grosses veines, en particulier les saphènes qui sont les veines principales de la jambe (voir photo 14), le traitement peut être soit chirurgical, soit médical (injections). Dans certains cas, seule la chirurgie est possible et c'est au médecin d'en juger. Pour nombre d'autres cas, les deux moyens peuvent être utilisés avec une efficacité et un résultat comparables. Certains vont argumenter que la chirurgie donne un meilleur résultat à long terme (moins de récidives après quelques années), mais cela dépend souvent de la qualité du traitement par injection (sclérose incomplète) ou du mauvais choix des patients; certains patients auraient dû être opérés d'emblée. Il est à noter qu'il y a des patients et des médecins qui choisissent les injections pour le traitement des saphènes même dans les cas plus avancés, quitte à opérer quelques années plus tard s'il y a récidive.

LES ACCIDENTS

Les accidents des injections sont assez rares. On peut cependant les résumer ainsi:

A- la perte de connaissance
B- l'allergie
C- l'ecchymose
D- l'oedème
E- la veinite
F- les taches résiduelles

A- La perte de connaissance

Celle-ci n'est pas causée par l'injection en soi, mais est plutôt une réaction nerveuse à une intervention que l'on craint. Elle se produit généralement à la première visite, chez une patiente tendue et anxieuse; on a même vu des pertes de connaissance avant même que ne débutent les injections.

Ce phénomène mineur, qui dure quelques secondes, est dû à une chute de tension artérielle causée strictement par l'anxiété et la peur de l'inconnu; il disparaît après la première visite parce qu'alors l'expérience d'un premier traitement en a démontré la facilité; l'anxiété a cessé.

B- L'allergie

Toute prise ou injection de médicament peut provoquer une réaction allergique; il en va de même après les injections pour varices.

Mais cette réaction est en général bénigne et se borne à l'apparition, dans les heures ou les jours qui suivent, de boutons sur la peau et de démangeaisons. Tout rentre dans l'ordre rapidement et le traitement des varices peut être continué en changeant de médicament.

C- L'ecchymose

L'ecchymose ou bleu arrive par suite de l'éclatement d'un vaisseau. Cela peut arriver aussi après une prise de sang. C'est un accident anodin et sans conséquences. Le bleu disparaît toujours spontanément en deçà de 15 à 21 jours, comme n'importe quel autre bleu.

D- L'oedème

L'enflure ou oedème peut parfois apparaître à la suite d'injections dans de grosses veines. Celle-ci est temporaire et disparaît.

E- La veinite

La veinite ou inflammation de la veine, caractérisée par rougeur et douleur, peut faire suite à une réaction trop forte d'une veine à un médicament injecté. C'est un accident rare et tout rentre dans l'ordre spontanément; on peut aussi à ce moment prescrire un anti-inflammatoire qui réglera le problème encore plus vite (2 ou 3 jours).

F- Les taches résiduelles

Occasionnellement, la peau peut demeurer tachée, brunâtre, à l'endroit où une veine a été sclérosée (traitée par injection) et ce après que la veine a complètement disparu.

L'apparition de cette coloration inesthétique est toujours perçue comme un grand désagrément par la patiente chez qui elle se présente.

Il ne faut pas s'en inquiéter; ces taches régressent et disparaissent d'elles-mêmes dans 50 % des cas. Pour les autres, il existe certains moyens d'y remédier, tel le peeling chimique (application d'un produit chimique indolore qui va effacer les taches).

De plus, il est à noter que ces taches apparaissent dans moins de 1 % des cas traités par des spécialistes.

COMMENT CELA SE PASSE

À la première visite du patient, le médecin procède à un questionnaire concernant son histoire médicale, ses antécédents familiaux, ses symptômes. Puis il passe à un examen physique général, puis à un examen plus détaillé du système circulatoire, en insistant sur les veines des membres inférieurs.

À partir de ces données, un diagnostic est établi, des examens complémentaires prescrits s'il y a lieu, un plan de traitement défini et soumis au patient. Si des injections sont indiquées et si le patient est d'accord, elles peuvent commencer immédiatement lorsque rien ne s'y oppose et qu'aucun test complémentaire n'est requis.

Par la suite le patient sera reçu chaque semaine ou chaque quinzaine selon le cas, jusqu'à complétion du traitement sclérosant.

Chaque séance, sauf la première visite, dure entre 10 et 15 minutes et le malade peut immédiatement retourner à ses occupations habituelles. Les injections sont presque indolores et les pansements doivent être gardés quelques heures tout au plus. Il n'y a aucune restriction quant aux activités après les traitements et la douleur dans les jours qui suivent est une chose assez rare.

Les photos 15 à 20 illustrent ce traitement.

LA SURVEILLANCE

Comme nous l'avons déjà dit, les varices sont une maladie chronique, évolutive: quel que soit le traitement, les récidives sont toujours possibles. Pour cette raison, après

Photo 15: Le matériel: seringues et médicaments.

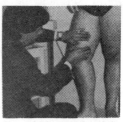

Photo 16: L'examen du malade.

Photo 17: L'injection en position couchée.

Photo 18: L'injection en position semi-assise.

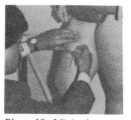

Photo 19: L'injection en position debout.

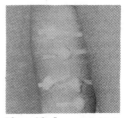

Photo 20: Les pansements après injections.

avoir complété une sclérothérapie (traitement par injections), nous revoyons nos patients tous les 12 à 24 mois pour un contrôle, ou selon les cas. Souvent, une ou deux visites d'entretien, même chez un grand variqueux, seront suffisantes pour prévenir une récidive qui pourrait ramener certains des symptômes ressentis au début.

De même après une intervention chirurgicale, les récidives peuvent être contrôlées par des séances de sclérose (injections) périodiquement.

De toute façon, la maladie sera toujours améliorée par rapport à ce qu'elle aurait été sans traitement, avec ou sans surveillance. Que le patient soit suffisamment motivé pour se présenter à sa visite de contrôle ou non, il gagne à se faire traiter et ce gain sera définitif.

CHAPITRE 7

La chirurgie

Il y a plusieurs types d'actes chirurgicaux possibles pour les varices:

A - La ligature
B - Le stripping court
C - Le stripping long
D - La reconstruction valvulaire

A- LA LIGATURE

Lorsque l'on parle de chirurgie, il s'agit toujours de grosses veines et principalement des saphènes. Les dessins 6 et 7 les montrent.

Ligaturer veut dire attacher; l'opération consiste donc à attacher la veine malade, la varice. On peut attacher simplement la saphène au niveau de la crosse (voir dessin) et compléter le traitement par des injections, ou attacher les varices à plusieurs niveaux,

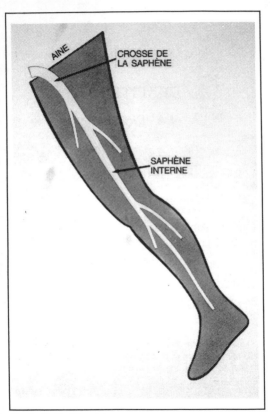

Dessin 6: Saphène interne.

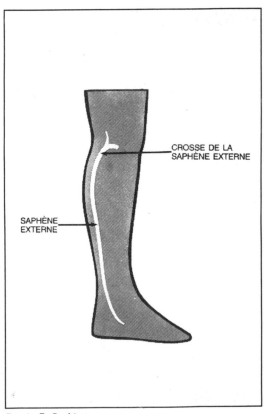

CROSSE DE LA
SAPHÈNE EXTERNE

SAPHÈNE
EXTERNE

Dessin 7: Saphène externe.

à plusieurs endroits, selon la maladie à traiter.

B- LE STRIPPING COURT

«Stripper» une veine veut dire l'arracher. Pour cela, on fait deux incisions, une au haut de la saphène, dans l'aine, et une autre plus basse; puis on introduit dans la veine, par en haut, un fil métallique ou autre que l'on va faire ressortir plus bas; on attache la veine au fil; en tirant le fil par le bas, la veine qui y est attachée va suivre et être ainsi arrachée, «strippée».

Pour le stripping court, l'incision basse est faite juste en bas du genou comme le montrent les dessins 8, 9 et 10. Cette façon de procéder a l'avantage d'être moins traumatisante pour la jambe que le stripping long et d'éviter les pertes de sensibilité et autres troubles souvent ressentis au niveau de la cheville après un stripping long.

C- LE STRIPPING LONG

Dans certains cas, il est nécessaire de faire un stripping long de façon à enlever la

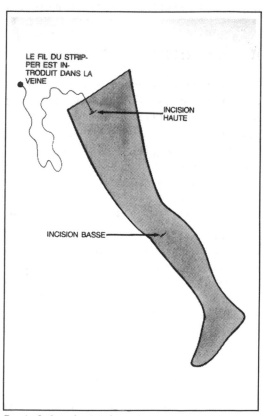

LE FIL DU STRIP-
PER EST IN-
TRODUIT DANS LA
VEINE

INCISION
HAUTE

INCISION BASSE

Dessin 8: Introduction du «stripper».

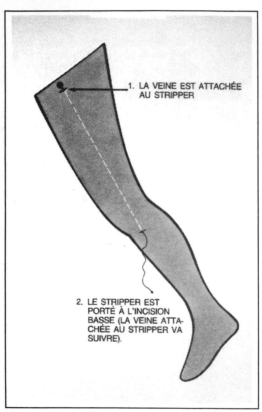

1. LA VEINE EST ATTACHÉE AU STRIPPER

2. LE STRIPPER EST PORTÉ À L'INCISION BASSE (LA VEINE ATTACHÉE AU STRIPPER VA SUIVRE).

Dessin 9: On attache la veine.

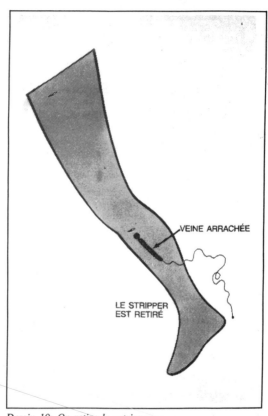

Dessin 10: On retire le «stripper».

saphène complètement. L'incision basse est alors faite au niveau de la cheville comme il apparaît dans le dessin 11.

Le reste de l'opération se déroule comme dans le stripping court.

La convalescence après stripping ou ligatures dépend de l'extension de l'intervention.

Les dangers de ces opérations sont d'abord ceux de toute anesthésie. Notez que ligatures et stripping court peuvent être effectués sous anesthésie locale — gel — ce qui évite les dangers de l'anesthésie générale.

De plus il y a les dangers inhérents à toute intervention chirurgicale et en particulier à la chirurgie vasculaire (hémorragies, hématomes, infections, mauvaises cicatrices, etc.).

D- LA RECONSTRUCTION VALVULAIRE

Cela consiste à refaire les valves endommagées de certaines varices. Il s'agit là de micro-chirurgie; réalisée à l'aide du micros-

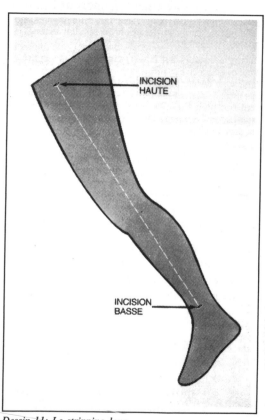

INCISION
HAUTE

INCISION
BASSE

Dessin 11: Le stripping long.

cope, elle est encore au stade expérimental. Pour certains patients, ces techniques nouvelles pourront sans doute apporter de grands espoirs. Mais leur utilisation sera sûrement très limitée.

Facteurs du choix

La décision d'opérer et le type d'opération dépendent de l'état du patient, de son âge, de l'étendue de sa maladie et de son évolution au cours des dernières années selon l'effet recherché et les traumatismes impliqués par ce choix en fonction du résultat estimé.

Enfin, certains médecins favorisent une approche chirurgicale alors que d'autres favorisent une approche phlébologique, c'est-à-dire les injections. Les deux approches sont défendables et présentent des avantages et des inconvénients. En fait les deux méthodes sont souvent complémentaires et combiner chirurgie et injections est probablement la meilleure solution pour les cas les plus avancés.

Évolution des varices

Peu importe le traitement choisi, l'évolution des varices sera à peu près la même, c'est-à-dire qu'il y aura des récidives plus ou moins importantes dans les années qui suivront, d'où la nécessité de la surveillance dont on a déjà montré l'intérêt.

CHAPITRE 8

L'obésité

L'obésité est un facteur assez important dans l'évolution des varices pour y consacrer un chapitre à part.

IMPORTANCE DE L'OBÉSITÉ

Si les varices représentent un mal fort répandu, l'obésité l'est encore plus, touchant plus de 50 % de la population.

Or chez les gens qui ont des varices, l'excès de poids, surtout si celui-ci dépasse de 20 % et plus le poids normal, sera un handicap de plus pour les veines des membres inférieurs et l'évolution de cette maladie en sera grandement influencée.

COMMENT ON DEVIENT OBÈSE

De nombreuses études ont tenté de trouver une cause physique à l'obésité: une transmission génétique, des hormones anormales, un métabolisme différent, etc. Aucune de ces études n'a pu à ce jour démontrer quoi que ce soit dans ce sens.

En fait on devient obèse pour deux raisons:

— on absorbe plus de calories que l'on en brûle;

— le manque d'exercice favorise la formation de la graisse.

L'on n'hérite pas de l'obésité; ce dont on hérite ce sont des mauvaises habitudes alimentaires, qui sont acquises souvent depuis l'enfance, et transmises de génération en génération.

Les maladies hormonales et autres correspondent à moins de 1 % des cas d'obésité.

Il est évident que la surcharge de graisse est acquise; une nourriture excessive accumule les livres excédentaires. Et d'autre part on n'insistera jamais assez sur le manque d'activité physique, aggravé par la technologie moderne et notre mode de vie sédentaire.

LES TRAITEMENTS

Les traitements de l'obésité consistent donc à diminuer l'apport calorique (diètes) et à augmenter l'activité physique.

Les diètes peuvent être plus ou moins rapides. Certaines sont nettement dangereuses car incomplètes. L'important est d'apporter à l'organisme tout ce dont il a besoin pour se maintenir en santé. Il est donc important de consulter un spécialiste avant de se lancer dans n'importe quel régime à la mode. Un médecin bien renseigné est sûrement la personne la mieux placée pour vous guider dans le choix d'une diète, lente ou rapide. Vous ne risquez pas ainsi de mettre votre santé en jeu.

LE CONTRÔLE À LONG TERME

Je ne terminerai pas ce chapitre sans parler du contrôle du poids à long terme. Il est encore plus important que la perte de poids elle-même, car sans ce contrôle, la perte de poids s'évanouira et de nouvelles livres de graisse s'accumuleront. Les efforts auront été vains.

Or ce contrôle à long terme nécessite souvent une rééducation alimentaire, une sensibilisation aux problèmes sous-jacents et une transformation permanente du mode de vie.

CHAPITRE 9

Les grossesses

Les grossesses sont un facteur assez important dans l'évolution de la maladie variqueuse pour leur consacrer un chapitre à part.

IMPORTANCE DES GROSSESSES

Nombre de patientes rendent les grossesses responsables des veines variqueuses qui se sont développées sur leurs jambes. En fait, les grossesses n'ont été qu'un facteur parmi d'autres, la maladie s'étant développée sur un terrain fertile. Rappelez-vous l'importance de l'hérédité.

Mais ce facteur est primordial puisque les grossesses représentent souvent un des traumatismes les plus importants que les femmes subissent dans leur vie. Au cours des mois, la pression augmente fortement dans les veines basses, surtout durant les trois derniers. La grossesse est un facteur encore plus déterminant que l'obésité car elle amène une pression encore plus grande sur les parois veineuses.

Au vrai, les patientes n'ont pas tort d'accuser parfois leurs grossesses de leurs malheurs, c'est-à-dire de leurs varices.

LES TRUCS IMPORTANTS

Plusieurs trucs importants peuvent aider au cours d'une grossesse. Ce sont:

A - les exercices
B - les bas supports
C - les pieds élevés
D - les injections

A- Les exercices

L'exercice en général aide beaucoup au travail des veines. Certains mouvements sont particulièrement efficaces pour aider la circulation des jambes. Nous les présentons dans la troisième partie. Ils peuvent être avantageusement pratiqués durant les grossesses.

B- Les bas supports

C'est là l'élément le plus important de la prévention au cours de la grossesse. Nous avons déjà vu l'importance de la contention et y reviendrons. Elle est encore plus indiquée durant cette période.

Les femmes enceintes présentant une tendance aux varices devraient à tout le moins porter des bas supports. Il existe des bas supports spéciaux pour la grossesse, avec culotte élargie. Il ne faut pas oublier que certains sont de meilleure qualité et que l'on en a souvent pour son argent. Rien ne sert d'acheter par économie un bas bon marché si celui-ci n'a à peu près aucun effet sur les veines.

Les bas supports doivent être enfilés le matin au lever pour n'être enlevés que le soir au coucher. Nous y reviendrons plus loin.

Le bas support fait pression sur les veines, pour contrebalancer les pressions internes et ainsi prévenir la dilatation, autant que faire se peut.

C- Les pieds élevés

Maintenir les pieds surélevés aussi souvent que possible est un excellent moyen d'aider la circulation de retour des membres inférieurs.

D- Les injections

Après le troisième mois de grossesse, si des varices deviennent trop pénibles et ne peuvent être soulagées par la contention (bas supports ou élastiques), après évaluation, il peut être indiqué de faire quelques séances de sclérothérapie (injections).

LES VARICES VULVAIRES

Les grossesses amènent souvent le développement d'un type de varices particulier: les varices vulvaires et vaginales.

Ces dernières sont fort ennuyeuses, embarrassantes et susceptibles de rendre les relations sexuelles douloureuses.

On les traite par les injections avec grand succès en attendant généralement six mois après la grossesse, à moins que l'inconfort oblige à agir plus vite. Au bout de six mois certaines de ces varices peuvent s'affaisser et disparaître spontanément.

TROISIÈME PARTIE

Comment s'aider soi-même

CHAPITRE 10

La contention

Bien que nous en ayons beaucoup parlé déjà, j'ai choisi de consacrer à la contention un chapitre à part car c'est le principal moyen qui existe pour s'aider soi-même.

La contention, nous l'avons dit, comprend les bas supports et les bas élastiques. Elle comprend aussi les bandes élastiques ou autres que l'on enroule autour des jambes.

EFFETS DE LA CONTENTION

En comprimant les jambes, tous ces moyens contribuent également à comprimer les veines, les empêchant ainsi de se dilater. La circulation s'en trouve améliorée car le retour du sang vers le coeur est ainsi favorisé. On se rappelle qu'une veine dilatée, parce que les valvules ne peuvent pas se rejoindre entre les contractions du coeur, n'arrive plus à faire son travail adéquatement (revoir dessin 4).

Il est évident que plus la pression sur la jambe sera grande, meilleur sera l'effet de contention. Normalement cette pression devrait être supérieure à la cheville et moins forte à la cuisse, de façon à favoriser la circulation du bas vers le haut.

Cependant les grandes pressions ne sont pas toujours nécessaires; cela dépend de l'importance de la maladie variqueuse.

LES TYPES DE BAS

En gros, on peut distinguer:
A- les bas supports
B- les bas élastiques

A- Les bas supports

Ceux-ci sont suffisants dans la majorité des cas. Il faut cependant choisir des bas de bonne qualité.

Ils doivent être enfilés avant le lever, ou après s'être recouché, en élevant les jambes pour quelquessecondes. On les enlève au coucher. Ils devraient être portés en tout temps, sept jours par semaine, été comme hiver.

B- Les bas élastiques

La pression des bas élastiques varie selon l'importance des varices. C'est pourquoi ils sont toujours vendus sur ordonnance, pour doser la pression adéquate selon le patient. Tous ces bas ont une pression décroissante, c'est-à-dire plus grande à la cheville et plus faible à la cuisse.

Inutile de préciser qu'ils doivent aussi être portés en tout temps.

Un bas élastique de qualité présente les caractéristiques suivantes:

- les orteils demeurent libres
- la pression est décroissante
- il est souple
- la compression est suffisante

COMMENT METTRE SES BAS

Surtout pour enfiler les bas élastiques, il existe une technique particulière.

On les enfile avant de se lever, ou après s'être recouché avec les jambes élevées quelques minutes (aulieu de quelques secondes comme pour les bas supports).

Puis on suit les étapes suivantes:

1- mettre de la poudre sur les jambes;

2- rouler le bas vers l'extérieur jusqu'au pied;

Photo 21: 1ʳᵉ étape: mettre de la poudre sur les jambes. *Photo 22: 2ᵉ étape: on roule les bas.*

*Photo 23: 3e étape: on en-
file le pied.*

*Photo 24: 4e étape: on dérou-
le le bas.*

3- puis, après avoir mis des gants de caoutchouc, commencer à les enfiler. On met d'abord le pied.

4- Et l'on déroule le bas jusqu'à la cuisse en faisant disparaître les plis qui pourraient se former au fur et à mesure que l'on progresse vers le haut, comme le montrent les photos 21 à 24.

L'ENTRETIEN DES BAS

Ces bas doivent être lavés régulièrement comme tout autre bas, de préférence à l'eau froide avec un savon doux, en prenant soin de les faire sécher en les étendant à plat sur une serviette.

Normalement les bas élastiques peuvent durer quelques mois, et les bas supports, bien entendu, beaucoup moins longtemps. Ils perdent toujours de leur élasticité, et donc de leur pouvoir de compression, avec le temps. Lorsque la pression qu'ils exercent devient trop faible, ils doivent être remplacés (car ils ne remplissent plus leur fonction de façon adéquate).

LES BANDES ÉLASTIQUES

Les bandes élastiques et autres ont été presque complètement abandonnées au profit des bas élastiques. Il faut dire que ceux-ci sont plus faciles à mettre et beaucoup plus efficaces, exerçant une pression uniforme, constante et régulière.

On se sert maintenant des bandes élastiques surtout pour les compressions localisées, c'est-à-dire sur une partie de la jambe seulement, comme dans le cas du traitement des ulcères (photo 25). À noter que, même là, un bas élastique plus court, au genou par exemple, peut favorablement remplacer les traditionnels bandages (photo 26).

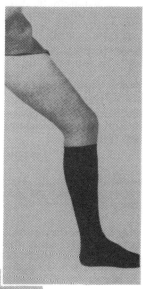

Photo 26:
Les bas élastiques courts.

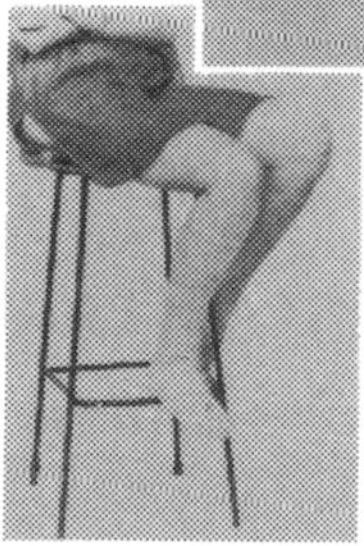

Photo 25:
Les bandages élastiques.

Si la condition (un ulcère, par exemple) nécessite l'utilisation de ces bandages, leur méthode d'application est toujours enseignée en clinique lors des premières visites.

CHAPITRE 11

Les exercices

Nous verrons dans l'ordre:

— la surélévation des pieds
— les mouvements lors de la station debout prolongée
— les exercices au sol
— les exercices en position debout
— les exercices extérieurs

LA SURÉLÉVATION DES PIEDS

Voilà une idée qui est revenue souvent au cours de ce volume: il est fort utile pour les variqueux de mettre les pieds en position élevée aussi souvent que possible (photo 27).

Cette position facilite le retour du sang par les veines et les aide à accomplir leur travail.

Elle apportera un grand soulagement aux malades atteints de varices, surtout à ceux qui doivent rester debout pour de longues périodes.

LES MOUVEMENTS LORS DE LA STATION DEBOUT PROLONGÉE

Il est important de bouger, lorsque l'on doit rester debout sur place, sans marcher ou sans faire de déplacements importants. Le mouvement, par les contractions musculaires, aidera la circulation veineuse. (Revoir le dessin 3).

Ce qu'il faut faire? Quelques petits mouvements bien simples comme:

— se dresser sur le bout des pieds (photo 28);

— se tenir sur une seule jambe, en alternant (photo 29);

— mettre à tour de rôle les pieds sur une surface légèrement élevée (photo 30).

Ces mouvements doivent être répétés. C'est une question d'habitude!

Les exercices

Photo 27: La surélévation des pieds.

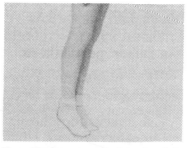

Photo 28: Se tenir sur le bout des pieds.

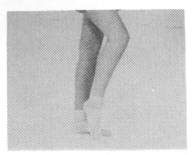

Photo 29: Se tenir sur une jambe à la fois.

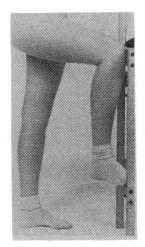

Photo 30: Mettre les pieds sur une surface légèrement élevée.

LES EXERCICES AU SOL

Des exercices au sol et des exercices sur place en position debout devraient être exécutés plusieurs fois par semaine. Nous suggérons 4 à 5 fois par semaine, avec 12 répétitions par exercice. Les exercices proposés ici ne sont pas les seuls qui puissent aider. Si vous en connaissez d'autres, c'est parfait.

Un modeste programme d'exercices peut s'avérer bénéfique pour tous les variqueux; il contribuera au bien-être général en aidant la circulation.

Voici d'abord quatre exercices au sol:

1- Replier les pieds vers le haut, puis vers le bas. (Photos 31 et 32)

2- Faire des cercles avec les pieds, 12 fois dans une direction, puis 12 fois dans l'autre. (Photos 33 à 35)

3- L'élévation des jambes, en alternant la droite et la gauche. (Photos 36 et 37)

4- Faire de la bicyclette (pédaler). (Photo 38)

Faire chaque exercice 12 fois.

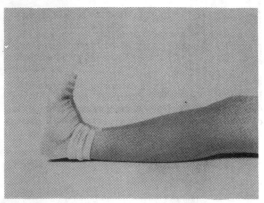

Photo 31: Replier les pieds vers le haut.

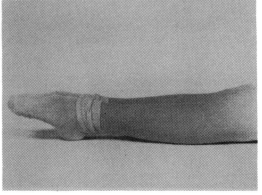

Photo 32: Puis vers le bas.

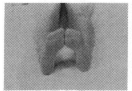 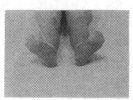

Photos 33 à 35: Faire des cercles avec les pieds.

Photo 34

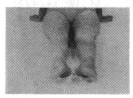 

Photo 35

Photo 36 et 37: L'élévation des jambes.

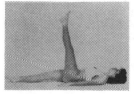 

Photo 37

Photo 38: La bicyclette.

LES EXERCICES EN POSITION DEBOUT

Voici deux exercices à faire sur place en position debout:

1- Plier les genoux, en alternant droit et gauche. (Photos 39 et 40)

2- Élever les jambes (en alternant droite et gauche). (Photos 41 et 42)

Faire chaque exercice 12 fois.

On peut compléter par 5 minutes de course sur place, de bicyclette fixe ou de saut à la corde.

LES EXERCICES EXTÉRIEURS

Les exercices extérieurs et les sports sont très bénéfiques pour les varices. Aussi ne faut-il pas s'en priver, à moins d'indication contraire de la part du médecin pour une raison particulière.

Les plus simples sont la marche ou le jogging. On recommande aussi la bicyclette, le tennis, la natation, etc.

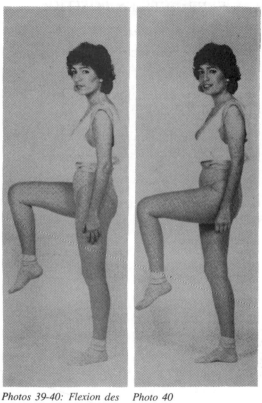

Photos 39-40: Flexion des genoux.   Photo 40

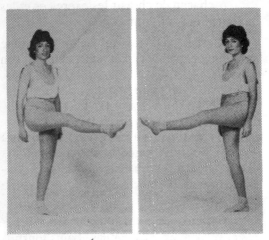

Photos 41 et 42: Élever les Photo 42 jambes.

À chacun de choisir les exercices et les activités qui lui conviennent.

N'est-il pas vrai qu'une bonne santé commence par un bon entretien de son corps?

ATTENTION À LA CHALEUR!

Si l'exercice est excellent, attention à l'exposition prolongée à la chaleur. Nous l'avons déjà vu, la chaleur a tendance à dilater les veines et donc à aggraver la maladie variqueuse.

Attention donc aux bains de soleil répétés et prolongés, aux saunas, bains tourbillons, planchers surchauffés, etc. Prendre garde ne signifie cependant pas s'abstenir. Il suffit de faire preuve de jugement. La modération est toujours la meilleure précaution.

APPENDICE

Les 50 questions les plus fréquentes sur les varices

1— Q.: Qu'est-ce qu'une varice?

R.: Une varice est une veine dilatée et tortueuse. Elle apparaît généralement comme un courant violacé sur la peau. Elle peut aussi former des bosselures en grains de chapelet.

2— Q.: Qu'est-ce qui cause les varices?

R.: La cause première est l'hérédité. On hérite d'une prédisposition aux varices mais les autres facteurs sont très nombreux: grossesse, obésité, station debout prolongée, etc.

3— Q.: Si ma mère a des varices, est-ce que cela veut dire que j'en aurai?

R.: Non, pas nécessairement. Cela dépend de vos conditions de vie. De plus, la transmission n'est pas constante. Cependant vos chances d'avoir des varices seront alors de plus de 60 %.

4— Q.: Les hommes peuvent-ils aussi avoir des varices?

R.: Certainement. La chose est moins fréquente mais non rare.

5— Q.: L'obésité a-t-elle une incidence sur les varices?

R.: Définitivement. La surcharge de poids représente également une surcharge de travail pour les veines des jambes.

6— Q.: J'ai des varices, devrais-je suivre un régime?

R.: Si votre excès de poids est plus de 20 % du poids normal, un régime serait bénéfique pour vos varices.

7— Q.: Les grossesses causent-elles des varices?

R.: Les grossesses représentent un des traumatismes les plus importants pour les veines des membres inférieurs. La pression dans ces veines est alors grandement augmentée. Aussi les grossesses marquent-elles souvent le début de la maladie variqueuse.

8— Q.: Les jarretières sont-elles nuisibles?

R.: En créant un obstacle au retour du sang vers le coeur, les jarretières augmentent la pression dans les veines basses et sont donc nuisibles.

9— Q.: Les accidents peuvent-ils provoquer des varices?

R.: Oui. Les accidents, les fractures par exemple, peuvent endommager des veines et provoquer des varices.

10— Q.: Comment peut-on traiter les varices?

R.: Il y a le choix entre les bas élastiques, les injections et la chirurgie.

11— Q.: Est-ce que les injections conviennent à toutes les varices?

R.: La plupart des varices peuvent être traitées par les injections. Certaines nécessitent une opération. Seul un spécialiste peut en juger.

12— Q.: La chirurgie (opération) est-elle meilleure que les injections?

R.: Les résultats sont comparables pour les cas où les deux peuvent être indiquées. Cependant, pour tous les cas moins avancés, les injections sont nettement supérieures.

13— Q.: Est-ce que les injections sont douloureuses?

R.: Non. La douleur est minime et la plupart de nos patientes résument la situation par un «ce n'est rien...».

14— Q.: Est-ce que les injections occasionnent une perte de travail?

R.: Non. On ne perd aucune heure de travail. En fait, les activités normales peuvent être reprises dès que l'on quitte la clinique.

15— Q.: Combien de temps faut-il garder les pansements?

R.: Quelques heures tout au plus. Votre médecin et son personnel sauront sûrement vous renseigner de façon précise à ce sujet.

16— Q.: Est-ce que les injections peuvent être dangereuses?

R.: Les réactions sont très rares. La plus crainte est l'allergie et ses symptômes sont habituellement mineurs et transitoires. Le traitement peut d'ailleurs être continué en changeant de médicament.

17— Q.: Les bleus sont-ils une complication?

R.: Des bleus peuvent survenir et c'est normal. Cependant cela ne représente pas une complication. Ils disparaissent rapidement (de 15 à 21 jours) et spontanément, comme tout autre bleu.

18— Q.: Les injections peuvent-elles laisser des traces?

R.: Occasionnellement, dans moins de 1 % des cas traités par des spécialistes, il peut subsister une trace brune là où une veine a été sclérosée (par injections), même après disparition de la veine.

19— Q.: Ces taches peuvent-elles être traitées?

R.: Oui. Si elles ne disparaissent pas spontanément ces taches peuvent être effacées par un léger peeling chimique (application d'un médicament à cette fin).

20— Q.: Les douleurs aux jambes peuvent-elles être soulagées par les injections?

R.: Toute douleur causée par les varices sera soulagée et pourra même disparaître après traitement.

21— Q.: Les enflures peuvent-elles aussi disparaître après les traitements?

R.: Les traitements vont améliorer la circulation et ainsi améliorer tout symptôme qui en découle, les enflures, par exemple.

22— Q.: Les petites veines peuvent-elles être traitées?

R.: Certainement. Les plus petites veines peuvent disparaître.

23— Q.: Comment traite-t-on ces petites veines?

R.: Par injections sclérosantes seulement.

24— Q.: Si j'ai seulement des petites veines, que se passe-t-il?

R.: On commence par faire un examen approfondi, car souvent ces petites veines sont nourries par de plus grosses moins apparentes que l'examen révélera. Puis on peut tout de suite commencer les injections.

25— Q.: Les ulcères des jambes peuvent-ils dépendre des varices?

R.: Ils constituent une des principales complications des varices.

26— Q.: Peut-on traiter ces ulcères?

R.: Certainement. Et souvent leur traitement devra inclure également le traitement des varices qui les causent pour éviter les récidives.

27— Q.: Les thrombo-phlébites peuvent-elles être diminuées par le traitement des varices?

R.: Bien sûr. Le traitement des varices diminue la fréquence des thrombo-phlébites.

28— Q.: Les thrombo-phlébites sont-elles dangereuses?

R.: Leur complication principale est l'embolie qui est toujours très sérieuse.

29— Q.: J'ai des varices vulvaires et vaginales. Est-ce que cela se traite?

R.: Oui. Avec des injections sclérosantes.

30— Q.: Est-ce que pour ces varices-là les résultats sont bons?

R.: Habituellement excellents.

31— Q.: Les bas supports sont-ils utiles?

R.: Ils sont un excellent moyen de prévenir les varices.

32— Q.: Qu'est-ce qui est préférable: bas supports ou bas élastiques?

R.: Les bas élastiques, qui sont plus épais et donnent une meilleure pression sur les jambes, sont généralement prescrits pour les cas plus avancés.

33— Q.: Comment choisit-on ses bas?

R.: On les choisit en fonction de:
— leur résistance,

— leur souplesse,
— la compression désirée.

En général votre médecin sera votre meilleur guide dans ce choix.

34— Q.: Les bas élastiques peuvent-ils guérir les varices?

R.: Les bas supports et les bas élastiques sont un excellent adjuvant et peuvent rendre d'énormes services. Mais ils ne guérissent pas les varices.

35— Q.: Devrait-on élever les pieds en les posant sur un tabouret lorsque l'on s'assoit?

R.: Aussi souvent que possible. On facilite ainsi le travail des veines.

36— Q.: Je travaille debout, est-ce nocif?

R.: Oui. Cela est très dur pour la circulation veineuse des jambes.

37— Q.: Que faire dans ce cas?

R.: Deux choses: porter les bas supports et bouger sur place car les contractions musculaires aident les veines.

38— Q.: L'exercice peut-il être nocif?

R.: Au contraire. Il améliore la circulation.

39— Q.: Quels exercices sont recommandés?

R.: Certains exercices au sol et en station debout sont décrits dans ce livre.

40— Q.: Le sport peut-il aider?

R.: Le sport (jogging, natation, tennis, bicyclette, etc.) représente la meilleure forme d'exercice. Il est donc hautement recommandé.

41— Q.: Les bains de soleil sont-ils nuisibles?

R.: La chaleur tend à dilater les veines, aussi faut-il s'exposer au soleil avec modération.

42— Q.: Que penser des saunas?

R.: La même réponse que pour les bains de soleil s'impose.

43— Et les bains tourbillons?

R.: Attention s'ils sont trop chauds!

44— Q.: La pilule a-t-elle une incidence sur les varices?

R.: Il y a de plus en plus d'évidence qu'elle peut influencer la maladie variqueuse.

45— Q.: Peut-on traiter les varices des mains et des bras?

R.: Les veines grosses et apparentes des mains et des bras sont généralement normales. Chez certaines gens, elles sont plus évidentes et plus dilatées que chez d'autres. On ne doit pas y toucher.

46— Q.: Peut-on traiter les varices des seins?

R.: Attention, des varices aux seins peuvent être signe de maladie plus sérieuse. Elles devraient toujours être signalées au médecin qui jugera.

47— Q.: J'ai des petites veines au visage. S'agit-il de varices?

R.: C'est ce que l'on appelle de la couperose. Cela se traite par injections tout comme les petites veines des jambes.

48— Q.: Peut-on traiter toutes les rougeurs du visage ainsi?

R.: Toutes les rougeurs qui sont causées par des veines dilatées.

49— Q.: À quel âge doit-on commencer les traitements pour les varices?

R.: Il n'y a pas d'âge pour commencer les traitements. Cela dépend de la maladie et nous voyons des patients de tout âge.

50— Q.: Une fois le traitement terminé, est-ce fini pour toujours?

R.: Non. Les varices sont une maladie chronique évolutive. Les récidives peuvent arriver après tout traitement par injection ou opération. La maladie suit son cours. Aussi revoyons-nous nos patients périodiquement. Souvent une ou deux visites annuelles d'entretien peuvent être suffisantes pour contrôler la maladie, même chez les grands variqueux.

Table des matières

Note biographique 7
Avant-propos 9

PREMIÈRE PARTIE

Les varices: ce qu'elles sont

Chapitre 1:   L'importance des varices 11

Chapitre 2:   Ce que sont les varices . .15
              — La circulation 15
              — Les artères et
                les veines 18
              — La circulation
                veineuse 21
              — Les varices 24

Chapitre 3:   Les causes des varices . .29
              — L'hérédité 29

— La station debout
   prolongée 30
— L'obésité 31
— La grossesse 33
— La chaleur..........34
— Les jarretières.......35
— Les accidents 35
— La constipation 35
— Le manque
   d'exercice 36
— La pilule 36
— La thrombo-phlébite..36
— Les causes multiples .37

Chapitre 4: Les complications
             des varices 39
— La douleur 39
— Le prurit 40
— L'enflure 40
— Les varicosités 41
— Les taches
   pigmentaires 41
— Les ulcères 41
— La phlébite 43
— Les hémorragies 44

DEUXIÈME PARTIE

Les varices: comment les traiter

Chapitre 5: Les différents choix 47
— Ne rien faire 47
— La contention 48

Chapitre 6: Les injections 51
— Ce qu'est l'injection . . 52
— Les types d'injections 52
— L'action des
injections 53
— Les veines cibles 53
— Les accidents 56
— Comment cela se
passe 59
— La surveillance 60

Chapitre 7: La chirurgie 63
— La ligature 63
— Le stripping court . . . 66
— Le stripping long 66
— La reconstruction
valvulaire 70

Chapitre 8: L'obésité 75
            — Importance de
              l'obésité 75
            — Comment on devient
              obèse 75
            — Les traitements 77
            — Le contrôle à
              long terme 77

Chapitre 9: Les grossesses 79
            — Importance des
              grossesses 79
            — Les trucs importants .80
            — Les varices vulvaires .82

TROISIÈME PARTIE

Comment s'aider soi-même

Chapitre 10: La contention 85
             — Effets de la
               contention 86
             — Les types de bas 86
             — Comment mettre
               ses bas 88

             — L'entretien des bas . . 89
             — Les bandes
                 élastiques 90

Chapitre 11: Les exercices 93
             — La surélévation
                 des pieds 93
             — Les mouvements lors
                 de la station debout
                 prolongée 94
             — Les exercices au sol . 97
             — Les exercices en
                 position debout 100
             — Les exercices
                 extérieurs 100
             — Attention à la
                 chaleur 103

Appendice: Les 50 questions les plus
           fréquentes sur les
           varices 105

Dans la même collection

Voilà quelques-uns des trucs simples mais astucieux réunis pour vous par Louis Stanké. Son petit guide de format de poche vous livre plus de 500 moyens de faciliter l'entretien de votre maison et vos tâches de bricolage.

500 trucs qui vous dépanneront et vous rendront la tâche plus facile dans la cuisine, qu'il s'agisse des corvées habituelles ou des situations d'urgence.

Facile à consulter, ce petit guide vous présente les unités de mesures les plus utilisées et leur conversion. C'est l'outil par excellence pour ceux et celles qui veulent s'éviter de fastidieux calculs.

Pour vous orienter en ce domaine, on a réuni en un format de poche tout ce qui concerne la valeur calorique de plus de 1 000 aliments qui composent votre menu quotidien, soit à la maison, soit au restaurant.

Des trucs, Louis Stanké vous en dévoile plus de 600 dans ce petit livre de format pratique que vous aurez avantage à toujours avoir à portée de la main.

Voici des douzaines de façons de paraître et de vous sentir plus mince grâce à un bon maintien, des mouvements corporels gracieux, des vêtements adaptés à votre type de physique, des soins de beauté réguliers.

Le guide des Tables de prêts personnels vous indique le montant du paiement mensuel à effectuer pour rembourser un prêt et, de plus, il vous indique combien vous coûte ce prêt en intérêt, selon le nombre d'années qui vous convient pour le rembourser.

Ce guide pratique est facile à utiliser. Vous n'avez pas besoin de calculatrice. D'un seul coup d'oeil, vous trouverez le paiement mensuel requis pour rembourser un prêt allant de 25 $ à 1 000 000 $.

Vous avez décidé de jardiner pour occuper vos loisirs. Voilà un passe-temps agréable et des plus valorisants. Mais que faire lorsque les insectes menacent votre récolte de petites fèves ou votre plus beau rosier? Quel est le meilleur moment pour tailler votre haie et comment vous y prendre? Comment faire votre compost vous-même? Quand semer les carottes?

500 p'tits trucs de jardinage a justement été conçu pour répondre à vos questions.

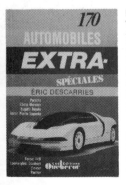

Vous trouverez dans ce petit livre tout un éventail de voitures extraordinaires de production, de petite série, prototypes, expérimentales ou uniques. Quelques-unes d'entre elles, plus anciennes, sont même devenues des légendes dans l'histoire de l'automobile.

Nous souhaitons que ce recueil saura vous plaire et que vous serez à la fois étonné et ravi des photographies qui l'illustrent.

IMPRIMERIE L'ÉCLAIREUR
Une division de Groupe d'imprimeries Quebecor inc.

16596